BLUE

LEE EUN HYE
SPECIAL EDITION

BLUE

5 이은혜

학산문화사

BLUE 5권

BLUE 5권　　　8

BLUE

달의 눈물
[BLUE OST Vol.1 하윤 Theme]

나를 깨우는 슬픈 목소리.
너는 달빛 아래 혼자 울고 있었어.
잠들지 않는 새벽 바다가
너의 눈물을 달래주었지.

그저 바라보았어.
난 너를 끝없이 안고 싶지만
너의 눈엔 내가 없는걸.

예….

지금
1층 로비에 와 있어.
라운지에서 볼까,
방으로 갈까?

어느 쪽이 좋겠어?

일단 엘리베이터 쪽으로 가는/중…

뭐가 그리 어려워? 둘 중 하나 선택인데.

아직도 결심이 안 서?

할 수 없군. 도와주는 수밖에…

문 앞이야.

……

PRIVACY PLEASE

봐, 쉽잖아.

너무 어렵게
생각하며 살지 마.
별거 아냐.
늘 둘 중
하나일 뿐이지.

선택을
줄여줄게.

준비하고 나와.
한잔 살 테니까.

......

들어와요.

......

대표로 온 거야.
두루두루 팬들이 많잖아.

언제 오든 오고 싶은 사람
마음이겠지만 기다리는 쪽들은
그리 편한 맘이 아니야.

당신이 시작한 거니까
마무리도 당신이 해.

도망치려던 건 아니겠지만
시간이 길어지면 오해도 길어져.
적당한 선에서 끝내.

나의 등장을
경고등쯤으로 생각하고
불 꺼지기 전에 건너.

이미 알고 있겠지만 그 녀석한테는 당신뿐이야.

당신에게보다 그 녀석에게 더 절실해.

난 그 정도는 아니거든….

난 하윤이가 필요해.

그 자식을 살려줘.

끝—. 내 얘기는 다 했어.

하고 싶은 말 없어?

저쪽에
무대가 서겠군.

이번 주말에
부산 콘서트가
있어.

혹시 전하고 싶은
말은?

알았어.
본 대로 전해주지.
건강해.

같이 올라가자.

지금 기분으로는 가다가
기차에서 뛰어내리고
싶으니까….

……

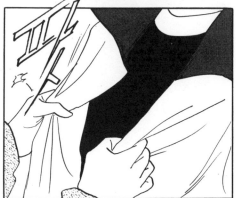

엉뚱한 짓 하면
가만 안 둬!

우와! 죽이는데요!
찌개 냄새!
맛도 예술이네요!

상 차리는 동안
승표 데리고
내려와.

승표 녀석,
복 많은 놈이네요!!
진짜 아들도 못 받아본
애정 넘치는 상차림을!
솔직히 좀 놀라워요.

교수님 이런 모습
상상도 못했어요.
천성이 얼음이라
어쩔 수 없는 분인 줄
알았거든요.

……

왜 하윤이에게는
안 보여주셨어?
뜨거우시면서,
이렇게…

하윤이 알면
죽고 싶을지도!
나도 뭔가 억울한
기분인데….

말 좀
함부로 하지 마라.
계속할 거면
돌아가.

기분 상하게
해드리려 한 거
아녜요.

교수님 모습
너무 보기 좋아서,
제가 눈물이 나려 할 만큼
행복해 보이시니까….

그만할게요.

모처럼
좋으신 기분 안 망치게
승표 불러올게요.
어쨌거나 저도
그 녀석이 예뻐요.

승표 때문에
웃고 계시니까…,
하윤이도
고마워할 거예요.

어이—,
대단한 총각!

아….

무슨 책인데
부르는 소리도 못 듣고
빠져 있어?

레이먼드 커버!
읽고 싶던 건데….
와—, 대단하군!
원서를 줄줄 읽는 거야?

하
하

설마요….
번역판으로
먼저 읽었는걸요.
원서는 어떤가 하고
그냥….

한국 가면
번역판 하나 붙여줘.
김승애 편저로.

번역판도 있던데요,
여기….

그래?
내가 잠시 뜸한 사이
새 책들이 늘었나 보군.
어디…, 어…, 이건!

설마.

한바탕
태우시는 것
같더니…,
그대로
남아 있었네.

뭔데요?

이하윤….

아니, 하윤이 아버지. 훨씬 부드럽잖아, 표정이….

……

정말 이해할 수 없어. 이렇게 숨겨두고 다 잊고 사는 것처럼 하시는 건 왜일까?

이건 처음 보는 건데….
하윤이 사진 중
제일 아기 때 사진이네!
우와…, 귀여워!

와! 이것 봐!

믿어져,
이런 시절이
있었다는 게?
다들 웃고 있잖아.

뭐 하고 있는 거야?
음식 다 식겠어….

악!

......

허락 없이 본 건 죄송해요. 하지만 좀 더 깊숙이 숨겨놓지 않으신 건 교수님 책임이세요.

생선 요리는 데워 먹으면 맛이 떨어진다. 식기 전에 내려와….

......

누나!

그래 알아! 내가 잘못한 거. 생각과 달리 자꾸 긁는 쪽으로 가는 걸 어떡해? 제장!

하지만 정말 놀랍다!
다른 때 같았으면
불호령이
떨어졌을 텐데….

너 아예
여기 눌러 앉지
않을래?
유학 생각 없니?

교수님!

후식은
제게 맡기세요!

승표 유학 오면
여기서 장기 투숙
시켜주실 거죠?

어휴—,
참….

유학이라고?

지금껏 당신이
우리와 함께한 시간이
얼마나 되는 줄 알아?

하윤이가 엄마라 불러주는 게
낯설지 않아?
미안한 마음 안 들어?
과분할 만큼 따르는 하윤이가
애처롭지도 않냐고!

늘 당신 눈치만 봐!
아이가 얼마나
엄마를 원하고 있는지
못 느끼겠어? 아니,
알면서 외면하는 건가?
왜 그렇게 잔인해?

제대로 아이를 품에 안고
재워본 적 있어?
아이를 위해 할애한 시간이
있었나?

자신이 낳은 자식인데
어떻게!

게다가
이젠 아예
떠나겠다는
거야?

데려갈 거예요.

아이를
망치려고
작정했군!

그렇게
아이가 걱정되면
당신도 따라오면
되잖아!

왜 내가 희생해야 해?
당신 하는 일이야말로
어딜 가든 상관없이
할 수 있는 거 아냐?

당신이 양보하면
간단하잖아!
늘 그래왔던
것처럼.

당신이 아이를
돌보면 되잖아!
집에서 글이나 쓰면서.
내가 벌어다 줄 테니까
잘난 글이나
쓰면서 말이야!

가. 하윤이는 손대지 말고….

선택은 그 아이가 해요.

…당신, 하윤이가 몇 살인 줄은 알고 있어?

비켜요! 당신 상관없어! 그 아이 마음이야!

날 택한다면 책임질 의무가 있어!

어머니!

잘못했어요,
어머니….

다신 귀찮게 하지
않을게요.

아빠 보고 싶다고
하지 않을게요.

정말
해주고 싶었던 말….

예….

……

여보세요?

이모 잠 못 주무셔
돌아가시기 직전이야.
전화 한 통화면 살아나실 테니
신경 좀 써라.

지금 어디니,
준모야?

잘 살고
있으면서
걱정시키는 건
뭐야.

준모야!

가깝지만
먼 곳이지.

…여기
와 있니?

…그래,
누이 봤어.

…….

걱정 마,
해 따위는 안 해.
설명 안 해도 돼.
오히려
안심했으니까.

이제 난
보디가드 실격.
내 레이더로는
누이의 행동반경을
감지할 수 없거든.
스피드도 최하.

오늘까지…, 아니,
이 전화로
안녕 할게.
마지막이야.

이젠
누이 걱정
안 한다.

준모야!

이모한테
전화 잊지 말고.

행복해, 누이….

……

집까지
데려다줄까?

서울에 무사히
도착한 걸로
충분해.

배 안 고파?
뭐 좀…, 먹고 갈래,
준모 형…?

됐어….

……

갈게….
잘 가.

그 인사말 맘에 안 들어. 또 보자는 말도 있잖아.

진짜 준모 형은 그런 인사 안 해….

아무리 힘들어도 여유와 유머가 있는 사람이야.

아까 정말 질린 모양이구나. 그냥 한 소린데.

너무 걱정하지 마. 너한테 진짜 kiss 한 번 안 해주고 어떻게 세상을 하직하겠냐.

내가 전부일 텐데, 남은경한테….

……

이것도 맘에 안 들어?

봐줄게. 늘 어른인 척했으니까 잘할 거라 믿어. 힘내라.

승표와 내 실연의 날
흘렸던 눈물을
형이 지켜줬으니까
그 빚 갚는 거다.
비밀 지켜줄 테니까
내가 감당할 수 있을 만큼
울어도 돼.

그래….

올해 첫 콘서트를
부산에서 갖게 된 건
부산 팬 여러분의
성원 덕분입니다.

예, 8월에 있을 카리스마와의
조인 콘서트가 서울만 있는 것이
아쉽긴 하지만 저희 부산을
먼저 찾아주셨으니 용서해드리죠.

오늘 마지막 곡 직접 소개해주시죠,
이하윤 씨!

BLUE 2집 서곡,
「달의 눈물」입니다.

정화랑 세지는?

분장실에 없어?
첫 콘서트라
긴장한 것 같던데.

뭘 자꾸
내다보는 거야?

알아듣게 말했건만
비참하게 만드네.
오라고 한 사람 무안하게.

먼저 나설
마음 있다면
어디 있는지
알려주고….

쓸데없이—.

헤이—,
카리스마!
JINO 전화야!

야아…, 웬일이야,
JINO?

콘서트 있다며?
공연 전에
한번 보려 했는데,
유감이군!

트집 잡으려다
잡히지나 말아.
단단히 준비하고
있으니까.

하하—,
역시.

무슨 일 있나,
전화를 다 하고?

애정이 식었군.
조강지처에게 편 가르기야?
섭섭해지네.

또 장난이군!

실은
루체른 집에
가끔 들른다는
한국인 교수
때문에….

뭐…?

응답기에
그녀 메시지가
있더라고,
너와 통화하고
싶다고….

그녀에게
어떻게 대해야 해?
특별한 예의를
갖춰야 하는
상대인가?

……

Rayoon?
…카리스마?

관심두지 마.

서른 번째 엽서.
너의 태양이 자란 곳에 있다.
그가 쉬던 CAFE와
그의 슬픔을 달래주던 사람들에게서
그를 만났어.
고개를 돌리는 곳마다 그의 모습이 있다.
그의 시선이 닿았을 거리 풍경들···,
난 그가 있던 그림 속에 서 있어.

슬픔을 담는 유리병에 백지를 넣었다.
아무것도 담을 수가 없었다.

쉬어갈 뿐이라면 달라지는 건 없어.
내가 일어서면 슬픔도 일어서고,
내가 걸으면 슬픔도 따라 걸을 테니까···.

근본적인 것을
떼어내지 않는 한
소용없는 짓이지.

마냥 그곳에서
쉴 수는 없어.

모든 걸 잊고
주저앉게 된다면
네게 돌아갈 수 없잖아.

본격적인 전투를
앞두고 있다.

여행은
나를 돌아보는 시간.

나의 창이
과거로 비춰지는 만큼
내가 꿈꾸던 세상을
함께 살던
사람들과 만난다.

잃어버린 우리를
찾고 있어.

천국의 문을 두드리며….

BLUE

너의 기억 속으로
들어가고 싶어
[BLUE OST
Vol.1 승표, 현빈 Theme]

더 이상 아파하지 마.
돌아가야 할 곳은 너라는 걸
이제는 알아.

아직은 해줄 것이 없는 나이지만
사랑한다 말할 수 있도록 기다려주겠니.
네 곁에 돌아가게 된다면
다시는 놓지 않을게.

채 연우!

Hi—

어머! 안녕.
오랜만이다.
정말…

여긴
어떻게…

교수님 심부름.
ADF 공연
포스터 필름
받으러 왔어.

승표는 어때?
잘 지낸대?

응…, 그런가 봐.
지금까지의 엽서로는.

저번에 전화할 때…,
승표 마음을 상하게
한 것 같아 속상했어.
연락되면 미안했다고 전해줘.

글쎄…,
연우 씨가 직접 하는 게 낫겠는걸.
전화 통화는 한 번도 못했어,
일방적으로 듣고만 있는 셈이니까.
내 이야기는 듣고 싶지
않은지도 모르지.

정말 승표다워….
느껴지는 걸,
그 마음.

그렇지 않아.
생각하는 게
있어서일 거야.

해준아!

우리한테 보낸 엽서
다 합쳐서 세 통인데.
너한테는
매일 부친다며?

갈게.
또 봐, 연우 씨.

헌빈 씨….

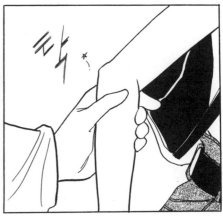

승표 소식 좀 들려줘.
함께 읽어도
괜찮을 내용만이라도
조각내서 들려줘.

여든 번째 엽서.
꿈이라는 건
이미 정해놓았는지도 몰라.
이제 남은 여행 동안
소원에 대한 확신을 굳히는 것뿐 ―.
얼만큼 단단해질 수 있을까?
과연 난…
어른으로 성장할 수 있을까?
시간의 마술에 몸을 맡기고 있어.
건강해.

아흔여덟 번째 엽서.
어느새 100번째 엽서를
두 장 앞두고 있어.
떠나온 지 석 달 지났고
소원을 이룰 엽서 주문도
끝나가고 있다.
하루도 거르지 않고
일기를 쓴 건 처음이야.
아흔아홉 번째 엽서가
유럽 여행 시리즈
마지막 일기가 될 거야.

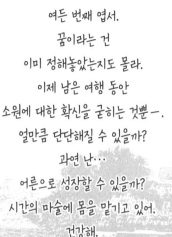

그 마지막 엽서는
나머지 20일 동안
머물 예정인 파리.
엽서보다 내가 먼저
도착하고 싶진 않아.

100번째 엽서는 서울—.
이건…, 직접 전해줄 생각이야.
시기는 미정이지만…

…조금씩 네게
가까워지고 있다.

아흔아홉 번째 엽서.

사. 랑. 해.

그는 내 마음을 읽지 않아요.
책임져야 할 일은
만들지 않아야 하니까.

자신의 꿈과 모험을
이야기 할 때는 다정하죠.

잠시 난 그의 눈 속에서
빛날 수 있어요.
이야기가 계속 되는 동안은
둘만의 꿈인 듯하죠.

그렇게 내 자신의 인생을…,
이 아름다운 거짓으로 속이며
살아가는 거예요.

천사의 눈물을 보았다.

한발도 움직이지 못하고
숨을 삼킨다.

실례가 됐다면
용서하세요.

엿보려고 한 건 아닌데
너무 감동적인 춤이라
나도 모르게 그만…

……

피트!

해준!

잘 찾아왔네?
외진 곳이라 처음 오는 사람들은
좀 헤매는 곳인데.

음, 나의 감각은
좀 특별해~!
어떤 것이든
본능적으로 찾아내는
재능이 있지!

하하…,
왜 아니겠어?
두건 안 한 모습은
처음 보는데.
염색한 거야?

이게 원래 머리야.
변화 주기도 질려서
다시 처음으로 가는 중.

연우…,
아직까지
연습한 거야?

아….

오우!
잘 아는 사람?
정식으로
소개시켜줘.
내가 실례를
했거든.

아…,
소개할게.

채연우,
같은 무용과 3학년.
이번 ADF도 참가했어.
너의 클래스도 신청했으니까
만날 기회가 많겠구나.

반갑습니다.
정말 잘됐군요!
한동안 보겠네요!

저는 피트 슐츠.
라반 센터 소속이고
ADF 호세 리몽
클래스 조교로
합류했습니다.

반갑습니다.
해준에게 말씀
많이 들었어요.
대단하시다고….
잘 부탁드립니다.

저야말로
잘 부탁드립니다!
아까 환상이었어요!
그토록 찡한
새도 댄싱은
처음 봐요.

설마
이 녀석은
아니겠죠?

이미지 상대가
눈에 보이는 것 같았어요.
경험 없이 그런 콘티를
짜는 건 힘들 텐데….
한번 보고 싶은데요,
당신을 힘들게 하는 사람.

피트!

좋은 연습실 놔두고
굳이 여길 오겠다고 한 건
이 형님 연습한 곳에서
뭔가 얻어보려 한 거 아냐?
원하는 만큼
가르쳐줄 테니 이리 와!

하하하….
역시 왕자야!

……

근데…,
워밍업 상대를
바꾸고 싶은데….

…….

너무 무리하지 말고
들어가, 연우야.
내일부터
강행군일 텐데.

응…

저, 그럼
내일 뵙겠습니다.

아…, 예…,
내일….

승표는
잘 지낸다더냐?

내겐 연락 한 번 없구나….
언제쯤 돌아온다더냐?

이달 안입니다.
도착일 정하면
알려준다 했습니다.

그래….

그 녀석
도착일에 맞춰
시간 넉넉히
비워놓거라.

공항 마중
나가시려구요?

…그럼
안 되겠나?

저는 승표 스스로
여기 올 때까지 놔두시면
좋겠습니다.

나름대로의
매듭을 짓기 위해 떠났던 만큼
끝까지 지켜봐주시길
원할 겁니다.

……

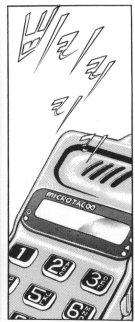

요!
카리스마!

JINO….

헤이—,
반응이 뭐 그래?
귀찮은 목소린데?

몸이 좋지 않아….

드디어 찾았다! 신현빈!

하아…

왔어?

너 찾느라 학교를 들었다 놨어!

굉장하구나,
너 오늘….

안 하던 화장까지 하고
무슨 일이야?
애인 군대 가고
수녀처럼 다니더니….

지금 만나러
가는 길.
특박 나왔대.

아하~,
역시!

같이 가자!

싫어~.
애정행각 지켜보라고?
고문이 따로 없지!

너 데려 오랬단 말이야.
반짝 외기러기 위로회도 할 겸!
기회 될 때 저축하겠대,
오빠가….

자기 없을 때
나랑
잘 놀아주라고.

걱정 마시라 해.
그가 없을 때부터
챙겨왔던 친구니까.

…

사실은 좀
쑥스러워서
그래….

헤어져 있는 동안
서로 존재감이 커진 것 같아.
어제 통화 때
오빠 맘도 나와 같은 게
느껴져서 울었다니까~!!!

반가우면서도
왠지 두렵고…,
정말 사랑이란 거 어려워!
우리 둘 변덕스럽지도
않은데 말이야.

불합리성으로
무장된 엑스터시의 현시
사랑의 영역에서만
가능하다잖아.

넌 어때?
승표의 고백 엽서
읽으면서
한 번도 두렵지
않았어?

……

하윤이는
왜 안 보이냐?

우리도
수배 중.

벌써 며칠째
폰도 꺼놓고 잠수.
걱정이야,
내일 생방….

갈 만한 데 다 뒤졌다.
한 군데 빼고…,
그건 아미 씨가 있어야 하는데….

아미 씨 별장?
거긴 두 사람 외엔
아무도 모르잖아.

……

오늘 인터뷰는
대충 넘긴다
쳐도….

내일까지
안 나타나면
어떡하지?

거기…,
너 저번에
갔던 데 아냐?
하윤 오빠랑….

신영아!

82 · BLUE 5권

몰라요.

안다 해도
말해줄 수 없어요.

동료에게조차
비밀로 한 이유 있을 거고,
밀고하는 기분 느끼는 것도
싫어요.

자기 관리
철저하다면서요.
생방 스케줄 안다면
나타나겠죠.
굳이 나서지 않아도….

나 역시
원하지 않는데
나서는 거 싫어.

……

그들만의 특별한 곳을
눈으로 확인하는 건
더욱….

난 즐거울 거라
생각해요?

난 포기했어.
…넌 아직 정리한 거
아니잖아.

너무 빨리 왔나?
그래, 여기 공항이야.

KIMPO INTERNATIONAL AIRPORT

왜 미리
연락하지
않았어?

뭐 대단한 벼슬을 했다고
마중까지 받아.
그냥 자연스럽고 싶었어.

집에서 봐, 형···.
저녁 기대할게.

잠깐, 승표야,
일단 회사로 와.
집으로 가지 말고···.

왜, 숨겨둔
여자라도 있어?
밀회의 장소로
쓰라 했더니.

당장 방 비우기 곤란할 만큼
진행된 거야?

비슷해.

오버하지 마,
그런 거 아냐.
아무튼….

시간 충분히
줄 테니까,
내 방 온전하게
내줘.

와우-, 굉장한데!
축하해, 형!
여행 한 번 더 다녀오면
조카 생기는 거 아냐?

어차피 난
먼저 가볼 곳이
있어.

그전에 하나 묻자.
너 오늘 오는 거
현빈이 알아?

……

어쩌면 기회를 찾고 있었는지 모른다.
어떤 형식이 됐든 정리가 필요하니까….

눈에서 멀어진 만큼
마음을 비우는 게 가능한 건지,
혼란을 끝낼 수 있는 건지.

떳떳한 현실을 맞이하기 위해선
환상을 깨야 한다.

내 생각은 그래,
승표야….

그를 보고도
아무 동요 없을 때
비로소 네게…
손을 잡아달라
할 수 있어.

마지막이야….
이것으로 널 당당히 맞이하는
첫날이 되었으면 좋겠어.

ㄲ이이…

선배님…!

현빈이…, 오랜만이구나.

안녕하셨어요.

와 계신 줄 몰랐어요.

들어가자.

아뇨, 선배님 오셨으니 제가 할 일이 없네요. 멤버들에게 전화 주세요, 하윤 오빠 소식….

들었어. 오기 어려웠을 텐데…, 고마워.

죄송해요,
허락 없이 찾아봬서.
어디서부터 말씀드려야 할지
모르겠어요.

아뇨, 전···
그냥 가는 게
좋을 것 같아요.
다음 기회가 되면···.

들어와.
서서 애기 할 거니?

난 오늘이 좋은데.
여기까지 왔을 때는
다른 약속은
없을 테고.
애기 좀 하자.
만나고 싶었어.

많이 마셨어요.

아미…

좋아요,
천천히….

신뢰….
둘에게는
절대 상대로서의
편안한
믿음이 있다.

아무 생각 하지 말고 자요.
쉬고 나면 괜찮아질 거야.

머리가 깨질 것
같아….

선배님 걱정하는 분들
많았어요.
준모 형은
말할 것도 없고.

건강하게 오셔서
다행이에요.

나를 위한 여행이
모두에게 폐를
끼친 것 같구나.
미안하다.

아뇨,
미안한 건
저예요.

선배님
안 계실 때
이곳에
왔던 거….

환영이야.
하윤 씨가
초대한 거니까….
사실 내 쪽에서 먼저
널 초대하고 싶었어.

같은 말을 하고 있어.

마치 한 사람처럼,
서로의 생각을 이해하려
애쓰지 않아도
들리고 보이는 거야.

더 이상 알아야 할 것이
없을 만큼 익숙한 연인.

스스로의 감정에 벅차
상대의 헤아림을 바라는
나와는 달라….

내가 하윤 씨에게
존칭을 쓰는 이유는
존경심을
갖기 위해서야.

호칭이 주는 거리로
오만해질 마음을 다스리지.
나이 차이라든가
과거, 외면의 모습들은
그를 사랑하고 나서
알게 된 것들이야.

그를 꿈꾸기 위해선
절대 꿈에서
깨어나면 안 된다는 것….
그게 시작이었어.

이미
태양과 동화된 당신이
그렇게 말하면 난…,

내 꿈은 더 초라해져.
구겨진 휴지보다
더 비참하게.

세상을 공평하게
밝히는 태양은
받는 이들의 의지로
노출 선택이 가능하지.

누구나
바라볼 수는 있어도
소유할 수는 없는 것.
내가 아는
그에 대한 전부야.

존재감 상실….

투사지처럼 모든 것을 읽힌
공허한 욕망이 사라져간다….

잘 지내셨어요….

어머니….

태양이 높아요.

춥지 않아 다행이지만
여름을 좋아하지 않으셨으니
견디기 힘들죠?

죄송해요,
도와드리지 못해서….

전 건강하게 살아 있어요.
뻔뻔해지기로 한 건
말씀드려서 알고 계시죠?

질투가 날 만큼 잘 살 거예요.
속상하면 일어나보세요.
무섭지 않으니까….

여기는…,
다시 안 올 거예요.
완전히 잊거나,
인정할 수 있게 되기 전에는….

형식적인 마침의 장소에
의미를 두고 싶지 않아요.
한 번으로 족해요….

영혼이 떠난 빈 껍질의 휴식처—.
흙 이상의 무엇도
남겨진 게 없는 이곳에선
당신의 향기가 느껴지지 않아요.

더 이상 여기 계시지 마세요.
오늘부터 제 가슴에서 쉬세요.
우리 헤어짐이 없었던 것처럼—
같이 살아요.

BLUE

기억해
[BLUE OST Vol.1
하윤, 아미 Theme]

그대와 함께 지내온 시간들
매일매일을 보석처럼 모아서
네게 주고 싶어.
기억해, 우리 처음 안았던 밤.
아픈 눈물로 입 맞추며 울었어.
후회는 없을 거야.

나의 눈물만큼 돌아온다면
기다림마저 달콤한 고통인걸.

홍승진입니다.

승표가
돌아왔습니다.

예상보다
일정이 앞당겨져
조금 곤란해진
상황인 듯
합니다만…,

아직까지
연락 없는 건
여전히 혼란 속에
있는 뜻이라
생각됩니다.

우리가
나눈 대화대로
해주었으면 합니다.
그럼….

누구나 바라볼 순 있어도
누구도 소유할 수는 없는 태양….
이제… 빛의 노출에서
몸을 숨기려 하는 순간
운명이 비웃으며 말한다.

너는 휴식의 그늘에 들어설 자격이 없어!!!

위기의 순간에 중립이란
자신의 감정에 부채를 얹기 싫은
이기심 때문이다.
그런 얄팍한 계산으로
세상과 겨룰 수는 없는 거다.

야아ー, 오늘도
1번 출석이네요.

감정에
몰입하는 속도가
이렇게 빠르다니.

이 사람…,

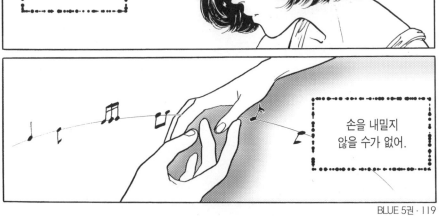

정말 사랑에
빠진 표정….

손을 내밀지
않을 수가 없어.

이 사람,
대단한 호흡이야.
내 동작을
훤히 읽고 있다.

마음을 읽듯이…,
진짜 연인처럼….

누구라도
춤을 추는 동안은
사랑에 빠질 수
있는 거야….

해준아, 그런 거였어?
내가 동요한
너의 표정들도…?
그럼 지금까지 난….

굉장한 호흡인데,
두 사람….
몇 년은 같이 산
부부처럼 말이야.

해준!

특히 피트!
너처럼 공격적인 녀석이
소년 같은 표정을 짓다니.

맞아!
하고 싶던 내 말이 그 말!
편하고 자연스러운 기분,
정말 오랜만이야!
처음 무용 배우던
설렘을 느꼈다고나 할까….

두근
두근…

그래.
초보들의 학예회
같았어.

질투의 화신!
비꼬는 걸 보니
우리가 정말
잘 어울렸나 보네.

그러게.
국제형 파트너가
역시 대단해….

내가
ADF에
참가하게 된 건
'피트'
때문이야.

피트는 파트너의
감성을 끌어내는
탁월한 능력을
갖고 있는 댄서지.
솔직한 춤을 추게 해.

나한텐 네가…,
그런 파트너였어.

해준아….

채연우!

차는 내가 끓일게, 형 좋아하는 재스민으로.

좋을 대로.

식사 끝나고 현빈이 얘기 해줘.

잔인해.

함정을 파놓고 빠지길 기다린 것과 다르지 않아.

그만두는 게 좋아. 널 위해서라도, 그 애한테도.

몇 번을 겪어야 이해할 수 있겠어. 다른 꿈을 꾸는 사람에게서 쉬는 것은 불가능해.

머리 아픈 건
괜찮아요?

나아졌어.

야채 스튜 재료와
먹을 것 좀 사왔어요.
오랜만이죠?
곧 준비할게요.

아미….

눈을 뜨고 당신이 곁에 없으면
머릿속에서 반복되는
소리가 하나 있어.
'모두 나를 떠나―.'

어느 노래 가사처럼…
드레스 룸을 열고,

당신 옷이 그대로 있는지,
구두가 그대로 있는지
보게 돼.

창밖으로
당신 뒷모습이 보여도
난 부르지 못해.
그저 바라만
보고 있을 거야.

어느 날 아침
눈을 떴을 때,
당신이 또 다시
보이지 않아도,

난…, 그렇게 할 거야.
눈을 감고, 다시 눈을 뜨면
당신이 앞에 있을 거라
생각하면서….

이제 오니?

늦었구나.

김치가 알맞게
익었으니까
가자마자
냉장고에 꼭 넣어라.

그 넓은 집에
페인트칠을 한다니,
혼자 할 게 분명한데
네가 들여다봐야지
어쩌겠니.

이모도 참….
이거 배달하라고
새벽부터 부르신 거예요?
직접 가면 되잖아요,
딸 얼굴도 볼 겸….

그러게 말이다.
공항 가는 길에
들르면 되는데
네 이모부 성질이
요상한 걸 어쩌니.

뭐 하는 게야?
시간 붙들어
매봤는가?

그만 좀 하소.
시간 충분해요.

아미한테
들렀다 가도
남겠네, 원….

……

그렇게 내키지 않으시면
머리채를 잡아서라도
들이시든가,
아예 호적에서 파내고
타인으로 사시든가,
다스릴 능력 안 되시면
차라리 눈물로
구걸하세요.

동정심을
사는 데는
최고니까.

이 자식,
지금 어른에게
뭐라 지껄인 게냐?

여보! 제발!

시간 없다면서요.
갑시다! 어서!

웃기는 소리.
그녀를 다스릴 수
있는 건 단 하나야.

단 한 사람….

삐이익

나 없으면 죽는
진정한 벗의
메시지만 받습니다!

삐!!

전화 받아!
다리 길어지는
체조 그만 하고!
어이~, 땅콩~!!

윽! 저 인간!

짧아도 괜찮다니까~.
둘 중 하나만 길어도
2세엔 지장 없어.

왜 또 시비야?
아침부터~.

숨소리 봐라~,
잘못 들으면
오해하겠어.

야!
이~ 저질!
끊어!

돈 벌러
가자.

도―온?
무슨 일인데?

바로 톤이 바뀌는군.
암튼,
너의 근육질이
필요해.
몸으로 때우는….

왜 자꾸
음침한 쪽으로
듣는 겨?

끊어!

정말
끊어!

힘 조—타!
누가 여자는 남자보다
신체적으로 불리하다 했어?
남자만 군대 갈 게 아녀~.

준모 형이
부실한 거지!
그래 갖고
군대나 가겠어?

그러게….
그럼에도
이런 나를 부르네.

뭘 듯이 기쁘냐?
김밥 싸들고
소풍 갈 곳 생겨서.

장난치지 마,
빠보…!

부르다니?
준모 형,
군대… 가?

영장 나왔다.
며칠 됐어…

…….

와ㅡ, 벌써
다 칠해가네!
쉬엄쉬엄 해.
몸살 나겠다,
너희들.

간식 먹고 하자.
샌드위치 만들었어.

분위기가
왜 그래?
다퉜니,
둘이…?

다투긴…

야ㅡ, 맛있겠다.
출출해지려던
참인데.

은경이 혼자
부려먹고 있구나?
못됐다.
준모 몫까지 더블로
은경이 줘야겠는걸.

아녜요….

땅콩!
이거 먹어봐,
맛있다.

배 안 고파. 마저 칠하고 먹을게요.

아유—, 천천히 해. 쉬어가면서….

......

그래, 빨리 해치우자. 오늘 안에 끝내려면….

그럴 것 없어. 오늘 다 못하면 어떠니.

언제까지 누이 옆에 있겠어, 내가…?

더구나 입대하면.

......

설마 샌드위치로 때울 생각은 아니겠지? 힘나는 요리 부탁해, 누이. 저 녀석 고기 좋아해. 먹여야 부려먹지.

얼른 나가 요리나 해. 페인트 튄다.

그래…, 수고해.
특식 준비할
테니까.

얀마!
제대로 문질러!
얼룩졌잖아!
대충 하면 일당도
대충 준다.

똑똑

여보송~

야, 땅콩…,
죽었냐?

윽!
살아 있네~.

코딱지만 한 게
더럽게 맵네,
거 참…!

봐아―!

대한민국 남자라면
누구나 가는 군대야.
소설 쓰지 마.

비겁한
겁쟁이 토끼.

눈물로
유혹하지 마,
너….

안고
싶어지잖아.

착각하지 마!
바보!

죽을래?
이거 안 놔?

퍽 퍽

하하하

기분 괜찮네~.
군대 간다고
울어주는 여자도 있고~.

내 거야….

어머니….

승표야!

아가! 어이구!
내 새끼!
금쪽같은 내 손자!

어이구 흑…

할머니….

…왔구나.

할머니…, 건강하게 지내셨어요?

아가!

오냐, 그래! 어디 보자, 내 새끼! 으흐흑—, 이 얼굴 다시 못 보는 줄 알았다. 나 보기 싫어 영영 떠난 줄 알았다.

다신 널 보내지 않을 게다! 이제 할미 곁에 있겠다고 약속해!

내가 이 집에 들어오마. 넌 세상 하나밖에 없는 내 손자야! 네가 어디를 가든, 우리 집안 유일한 주인은 너다!

네 어미랑 살던 집이면 정 붙이고 살 수 있지 않겠니? 여기서 같이 살자. 늙은이 마지막 소원이다….

다 안다, 네 맘 다 알아. 몹쓸 짓 한 할미 원망스럽다는 거…. 용서하렴. 할미가 잘못했다…. 내 죄가 크다…. 난…, 난…, 널….

할머니가
이 집을 되사셨다.
이곳이 아니면
네가 돌아오지
않을 거라고.

매일 네 방에서 우셨어.
너 돌아오기만을
기다리시며…

네 엄마 방은…,
내가 쓰고 있다.

어머니…,
괜찮으세요?
이제라도 비슷한
그림 된 거니까.

표정이
나아진 것 같구나.
보기 좋다.

예….

미안하구나,
너무 늦어서….

그래요….
너무 늦었잖아요.
왜 이제야….

난… 괜찮지 않아요.
서둘러 간 어머니가
원망스러워요.

조금만 더 기다렸으면
함께 가질 수 있는
시간이었어요.

제 가슴에 살아 계시지만
눈에 보이지 않잖아요.
당신을 자랑하고 싶은데,
우릴 보여주고 싶은데….

BLUE

飛愛天使
[BLUE OST Vol.1 연우 Theme]

기다려줘,
사랑하는 마음 변하는 날까지.

시간이 모든 걸 잊게 할 거야.
널 조금씩은 지워갈 테니.

우리 다시 만나도 외면할 수 있도록.

수고하셨습니다!

짝

짝 짝

짝

감사합니다!

짝
짝

즐거웠습니다!

짝
짝

짝

안녕!

안녕! 내일 또 봐요,
미남 선생님!

짝 짝

수고하셨습니다.

아,
예…

참, 연우 씨!
오늘 시간 낼 수
있어요?

……

아…, 저…, 오늘은….

쉬엄쉬엄 해야지요. 그렇게 무리하면 오히려 마이너스.

나랑 데이트해요. 서울 구경 한 번도 못했어요. 가이드 좀 해줄래요?

거짓말도 정도껏 해라. 어젯밤도 교수진과 남산 일대를 들었다 놨다며?

그렇게 마시고 흔들고도 어찌 그리 멀쩡한지~. 슈퍼 정력제라도 먹나?

윽! 저녀석… 또!

나 참…, 이해가 안 가. 연우 씨, 해준이 허락 받아야 하는 사람 아니잖아요.

남자 친구 개념이 우리하고 다르다면서요. 그냥 친구가 왜 이리 참견이 많죠?

그…, 그건….

뭔 개념이든 위험에 빠지는 건 방관할 수 없는 일이지. 너희는 애인 말고는 모른 척하냐?

무사히 돌아와서
다행이야…

아가씨~,
눈물샘 터지셨습니다~.

어어…,
이런…

다들 대사가 똑같네.
내 여행,
그렇게 위험했어?

응!

응!

끄덕

끄덕

못 자리 찾으러
떠나는 놈
분위기였어, 쉐캬!

야아~~!!

해준아!

사실이잖아!
죽을 듯한 얼굴로
떠난 여행…

이해준~!

나만 미워해…

이해준 군~!
왜 이렇게
귀여워진 거야?

헥
헥

이런~!
까먹었나?
이해준
귀욤이~.

푸하하ㅡ

어이…, 이해준!
그만 웃겨.
현빈이 떨고 있다.

으….
적응 안 돼.

아주 그림자처럼
붙어 다니는구나.

돌아오자마자
현빈이 집 앞에서
기다리며 맞았겠지?
이제 오니? 늦었구나~.
하면서 말이야.

우리에겐
며칠 만에
연락한 주제에.

이해준…, 나에 대해
너무 많이 알고 있으니….

죽어줘야겠다!

하하하하.

오랜만에 만났는데 찐한 뽀뽀 한번 할까, 우리?

좋지—. 자, 이리 와!

캑

우왓! 짜식—. 유럽 한 번 갔다 오더니…

비켜!

애정이 식었군, 거부하다니!

그렇다면 대신 연우! 끔찍한 해준이랑 하는 것보다야 달콤하고 짜릿한 우리 연우!

와우~.

보고 싶었어!

대…

와앗! 승표야….

흥응...

해준이 삐쳤구나?
이리 와,
너두 해줄게.

나도
너랑은
싫다.

나 또한
대신ㅡ.

2:1,
이해준
1점 회복!

뭐야,
너…!

발
끈
!

과민 반응이네.
그저 인사인데.

거기까지야,
이해준.

자신 있어?

두고 봐.

좋았어.

오세요! 오세요!
그림 같은 사랑을
그려드립니다!

기념 한 장 남겨볼까?
동양 초상화는 역시
우리 화가들이
뛰어나거든~.

뭐 이런 걸
돈 주고 그려?
천재를 옆에 두고!

맞다! 연우!
해준이 넌 특히
연우 덕 많이 봤지.

와…, 그림까지?
팔방미인이구나!

아이 적엔
그 서툰 색으로도
널 기쁘게 할 수
있었던 것 같아.

하지만…,
지금 내 물감으로는,
내 작은 붓으로는
더 이상 널 위한
그림을 그릴 수 없어….

다리 아프다.
우리 저쪽에
앉아 있을게.

O·K!

아휴!
움직이지 마!

O·K!

뭐 하나 물어봐도 돼?

뭔데?

좀 그렇긴 한데…,
이런 질문….

해봐.

미안해!
말도 안 되는 얘길 꺼냈어!
사과할게!

아니야.

나 좀 들뜬 것 같아.
너희 셋 보고 있으면
기분 묘해지거든.

즐겁긴 한데…
어쩐지 방해꾼으로
앉아 있는
기분도 들고…

말도 안 돼!
무슨 소리야!

절대
그렇지 않아,
절대…!

횡설수설한다.
머리 좀 식혀야겠어.
시원한 음료수
사 올게.

나도
같이 가…

세 사람,
콜라광이지?

혼자 다녀올게.
무안해서 피하는데 따라오면 좀….

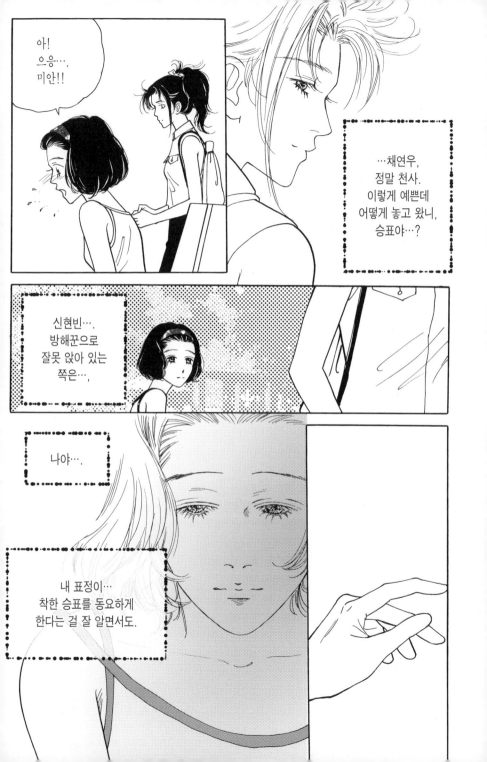

더 적극적으로
유혹해봐.
찐한 뽀뽀라든가.

또 오버한다~.

같이 들어가자.
어디든
함께 놀면 되잖아?

시디과 수업을
내가 왜?

교양이고,
땅콩 하나 껴도 모른다.
알면 또 어때?
실이 바늘 따르는데….

아직 날짜 멀었는데
이러니까 조바심 나잖아.
짜샤….

내키지 않는
이별은
아무리 멀어도
빠른 법이지.

살아 돌아왔구나! 승표야아~!!!

어허… 이런… 또…

떨어져! 떨어져! 초상났냐?

여~! 승표~! 오랜만이다! 건강해 보여 좋구나!

형두요! 잘 지내셨어요?

뭐…, 땅콩여사가 긁는 거 빼면 자~알 지내는 편이지!

비켜! 비켜! 우리 사이를 가로막지 말란 말이다!

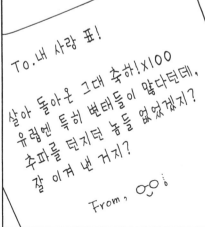

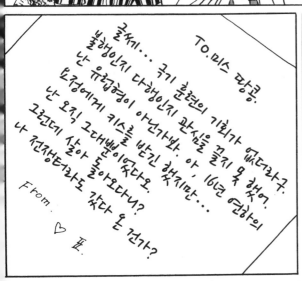

글쎄... 쿠기 훈련의 기회가 없더라구.
불행인지 다행인지 관심을 끌지 못 했어.
난 유혹깡이 아닌가봐. 아, 16년 연하의
난 오직 그대뿐이었다오.
그런데 살아 돌아온다니?
나 전쟁터라도 갔다 온 건가?

TO.미스 땅콩.

From.
♡ 표.

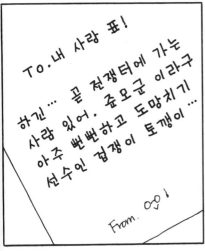

TO.내 사랑 표!

하긴... 곧 전쟁터에 가는
사랑 있어. 쥬모군 이라구
아주 빤빤하고 도망치기
선수인 겁쟁이 토깽이...

From. 용이

군 입대?

그렇대.

흠…

기운 내.

거 말뜻 요상하네.

네 손은 여전히 따뜻하구나.

거기~~~, Love him 하는 girl! 뜨거워도 좀 참지! 애정 표현을 꼭 지금 해야겠나?

뜨아~♡

찍힐 줄 알았어.

지척에서도 바람 피우는데 어떻게 믿냐?

역시 양준모!
발 닿는 곳 전부
자기 집 안방이여~.

오빠야,
니 살림 차렸드나,
작업실에?
하이고야~.

보통
이렇잖아?

대충….

완전
장난 아니네!
뭐가 이리
무거워요?

기증하면
안 돼요,
형~?

여기다 올려,
현빈아.
무거운 거 들지 마.
인대 다친다.

후훗―.
이 정도는 시디과
기본 중량.

학원을 얼리던 눈의 여왕이 남자 앞에서 눈웃음이라~.

준모 형, 부탁인데 그 시절의 난 잊어주길.

잊기 싫다. 그때가 내 리즈 시절이었어~.

지나 보니.

헐—, 그 고생을 했는데?

피는 용암처럼 끓고 첨예한 날이 시퍼렇게 살아 있었지…. 요즘 난, 원숭이처럼 흉내만 내고 있거든.

그림터 지주가 그런 소릴 하면 난 어떡해?

우는소리 한 번 안 한 주제에~. 낯설게 왜 이러셔? 네 잘난 척에 완전 길들여놓고~.

전 아직—.

너 지금
놀린 거지?

그런 거지!

너까지
왜 그래?

으으~
유치해!

하하하하.

승표 녀석!
아주 건강해졌지?
태양을 마주해도
쓰러질 일
없을 거 같은데?
흐음….

당연하지!
하느님이 보우하사
시원한 구름 그늘
보내주신다,
우리 승표한테는.

더 이상
난 꼽사리
낄 수
없지만….

묘하게
자극하네,
그 말….

새 식구 들이자 하실 줄
짐작했습니다만
이렇게 이를 줄은
몰랐습니다.

승표가
짐을 풀기도 전에
뚜쟁이가
설레발 칠 줄은
몰랐습니다.

아무리
천것의 피가
섞였다지만,

어디 감히
어른 말을 엿듣는 게야!
홍씨 집안을
도둑팽이 소굴로
전락시키려는 게냐?

이 집을 거두신다고
하셨을 때
변하신 줄 알았습니다.

머리 숙일
어른이 생겨
이 뻣뻣한 목이
풀릴지도 모른다
기대했습니다.

뭔 헛소리를 지껄이는 게냐?
어찌 이 벌건 대낮에 집안을
얼쩡대는 것이야? 엉?

숨딱지 붙어 있는 동안
쌔빠지게 일해도
모자랄 판인데
맡긴 일터를 팽개치고
기어들어와?

힘쓰지 않아도
홍씨 재산 전부를
제게 몰아주고
계시지 않습니까,
지금.

좋아! 무대 배틀! 네가 여기 온 이유도 그거 아냐?

과제는 내가 정한다. 네 홈이니까.

얼마든지! 네 특기로 다 채워도 상관없어.

호오~, 역도발~?! 과연 자신만만하다만, 여기 와서 네 놈의 약점을 알았으니 쉽지 않을 거다!

잔머리 굴리지 마. 심리전은 내 특기니까.

결투신청? okay— Deal~!!

자, 중요한 배틀 포인트~!!

우리 둘 중 엔젤연우가 누구의 손을 잡을 것인가~!

…연우한테
요청했어?

그걸 도와줘야지.
아직 내 말
안 먹히거든.

아직…?

너무 앞서는 거
아니야?

게다가
연우는 아직
무대가
익숙하지 않아.

이번이
두 번째….

충분하다고 보는데?
솔직히 그녀의 춤에 놀랐어.

춤의 소리를 듣는 경험은
처음이었거든.

극찬인데
흠씬 몰매 맞은 기분―.
이 울컥하는 더러운 느낌,
…뭐지?

덕분에 한 번에
감 잡았지.
너와의 관계라든가.

소설 쓰지 마~!
연우가 좋다면
반대할 이유
없으니까.

멋진 해준~!!!
느닷없는 배틀도
마다않다니~!
실력파의 여유~!!!

멋진 거냐?
단순한 거지.
이리 쉽게 도발에
걸려들잖아….

그래서 말인데,
자료수집 겸
단합 스케줄을
짰거든….

1. 두 분의 또 다른
그분 소개,
2. 다 같이 놀이동산,
3. 저녁 무도회.

헐~!!!
무슨 스케줄이 그래?

4. 새벽 해장국 먹고
엔젤연우 집에서 숙박,
혹은 해준.

5. 공연 전날까지
엔젤연우 집을 오가며
숙박….

순 놀고먹자 판에…,
연우네 숙바~~~악?

3인무 공연 확실해?
교수진 쪽에서
허락한 거 맞아?

다른 속셈
있는 거지?
이 자식~~~.

카리스마와
합동 공연이 발표된 이후,
정보 교류를 요청하는
다국적 팩스와 메일이
쇄도하고 있어.

이하윤과 카리스마 재결합설이
최고 이슈~!!
스위스 현지의 처라는
여자들까지 등장해 설쳐대고….

뭐~, 어디나
지랄맞은 기생충 무리는
우글댄다 쳐도,

울 이하윤님
재결합설 노코멘트 이유가
무엇인지 진짜 궁금해.

'카리스마' 1집은 스위스 그래미 최고 앨범을 수상했어. MTV어워드 북유럽 대표 올해의 락 밴드까지 휩쓸었지!

그들과 합류하면 바로 세계시장 데뷔인데…. 뭐가 걸리나 분석해보니,

너 때문일지도…, 라는 생각이 들더라.

녀석이 날 좋아하긴 하지. 하지만 난 별로~, 그런 타입….

~ㅣ~

그 1위곡이 로컬밴드 시절 하윤이 작곡한 히트곡이고,

지노가 멜로코어 버전으로 리메이크한 거잖아. 여기 돌아오지 않았다면 유럽 ROCK을 석권한 한국 출신 ROCKER가 되었을 거라고~!

난 솔직히 카리스마 밴드에
하윤이 합류하는 쪽을 원해.
까놓고 말해, 한국에 있는 거
완전 손해라고 봐.
세계에서 통하는 실력으로
내수에 그치는 건 낭비야!

좀 심한 거 아냐?
BLUE 멤버들은
이하윤 갉아먹는
기생충이란 소리로
들리네?

나야
아줌마 열정 이해하니
그냥 넘어가지만,

다른
멤버들에게
그 따위로
말하면…,

....

데이트 안 해준다.

어디서
까불어?
양아치가~!

MUSE

Knock-
Knock-

사이좋으시네요.
두 분—, 안녕하세요.

퍼
버
벅
버
벅
!

얕은 친분들에겐
수위가 높네.

촬영
온 거예요,
BLUE…?

실망시켜
어쩌나…
나 혼자야.

주변에
여자라곤
아줌마뿐이라
놀러왔는데
안 넘어오네.

가서 죽어라 연습해~!!
카리스마에게 밀리면
칼 맞을 줄 알아!!!

슈우~

하윤이 놈이
열라 연습 중인데
뭔 걱정이야?
떨거지들은
걍 달라붙어 있음
되는 거 아냐?

어차피 나머진
기생충이라며…

너…,
일 끝나고 좀 보자.

데이트 하자고?
오케이, 콜~.

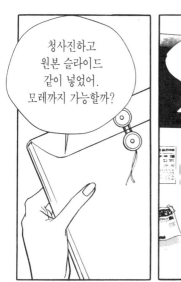

청사진하고
원본 슬라이드
같이 넣었어.
모레까지 가능할까?

해볼게요.

꼭 시간 내라 그래.
마감만 아니면 당장 오라 하겠는데
승표, 이래저래 할 말이 많다고
전해줘!

네ㅡ.

보기 드문
나풀나풀한 치마까지
입고~.
승표랑 데이트?

친구들…
만나요.

아…, 송 아줌마!
오차 없이
늘 같은 델 맞춰!
세 방이나 먹었네.
명투수야~.

젠장,
지랄 맞게 아프네.
혹 생겼다….

쿡ㅡ!

겉보기엔
평온해
보이는데?

그쪽도요.
평화롭네요.
송 차장님과
그러는 거 보면….

너무 평화로워서
두려워.
언제까지 지속될까
조바심이 난다.
폭풍전야의
고요 같아서….

사실은 집착과
단념의 경계인 불안한 상태.
결코 유쾌할 수 없는
시간이지만,

다음날 씻은 듯 잊는 건
더 불쾌해.
팔랑팔랑 깃털보다
가벼운 마음으로
누군가를
담고 싶진 않아.

알코올처럼
쉽게 날아가버리는
감정에 놀아나는 건
싫단 말이지, 난….

해서,
갈 때까지 가보자고
허우적대는 중.

넌 어때?

승표 씨 너무 멋져!
내 감성을 솟구치게 해!
오늘 승표 씨 집에서
숙박할까, 우리?

우리란 말로 멋대로
끌어들이지 마!
특히 연우 집은
꿈도 꾸지 마!

두 사람
커플인가 봐.

그러게~.

하하—, 보라!
우리가 커플로
보일 정도잖아?
한국말로 천생연분?
엔젤연우~!!!

페어 룩이라 그렇지,
단체복이랍시고 입어준
순진한 연우 덕분에~.

세 명으로
무슨 단체 단합?
거창하여라~,
허세 피트~!!!

몇 명이든 팀의 단합은
결속을 위해 필수!
안무 콘티 잘 짜려면
단원들의 희로애락을
분석해야 해! 알았죠?

그럼~,
엔젤연우부터 면담
들어가겠습니다.

해준,
젤 무서운
놀이기구는?

바이킹이
무지 무섭대.
파이팅~!

가볍게
바이킹으로
시작할까요?

크흐흐흐

뭘 기대하든 뜻대로는
안 될 것이다. 응—.

하하하-

재미있는 사람이네.
우리 연우한테
관심 많은걸.

이해준, 긴장해라.
보통 레벨이
아닌 거 같아,
저 친구….

알아.

우와아~!!
끝내준다~!

손을 놔요, 피트!
더 신나요!
손 올리고~!!!

돈키호테, 피터 팬,
햄릿이 뒤섞인
녀석이지.

끄아아아악~!!!

연우에게…,
너 없는 동안
투정을 심하게
부렸어.

미안해서
얼굴을 제대로
못 보겠더라.

피트가 연우를 도발하는 바람에
관심을 돌렸지만,
나중엔 내가 더 도발되어서…
미묘한 느낌이야.
강한 연우를 바랐으면서도
어쩐지 섭섭해.

이번이
연우와의 마지막 춤이
될지도 몰라….

연우의 날개를 펴줄 사람은
이해준뿐이다.
프리마 돈나가 손을 허락한
프린스는 이해준뿐이다.

그런데
단 한 번에
피트의 손을
수락했다.

그 감정, 분명 질투지만…
연우가 원하는 감정선과는
다른 방향이다, 이해준….
천사의 날개는 누가 봐도 보이는 거야.

너의 친구 목록을
한참 스크롤해도 좀처럼 보이지 않는
하단 어딘가에 내 이름이
간신히 매달린 꿈을 꿨어.

네 예지몽은
더 이상 맞지 않잖아.

난 너의 몇 번째냐, 홍승표…?
나에게 넌 여전히 첫 번째인데,
순위엔 들어 있는 거야?

안심해.
다리를 베개 삼는 게
그 증거.

순위를 말하지 않는 거 보니
첫 번째는 아니구나?
아니…,
한 번도
첫 번째인 적은 없던가?

그렇다면
밀린 것도 아닌데
왜 이리 억울하나.
기운 빠진다.

연우에게도,
너에게도,
난…

존재감 없는
놈이었어!

목록을 정해
굳이 널 분류한다면
친구와 가족에도
포함시켜야 할 거야.

내 최초의 형제이며
친구인 승진 형과
같은 존재감으로….

사랑한다, 친구….

BLUE

여름의 환(幻)

다시 처음으로 돌아갈 순 없다.
함께 손을 잡고 웃던 그때처럼 있어도
한낮의 짧은 꿈이
모두의 머리에서 지워지지 않았다.
또 다른 나와
잊고 싶은 나는
다음날의 여름 환을 꿈꾸며 서 있다.
Blue Summer.
이 여름의 끝날까지….

처음 뵙겠습니다, 신현빈입니다.

이쪽은 피트 노이만 슐츠 씨. 최고 실력의 댄서, 안무가셔.

너무 띄우네! 그저 그런 놈이라구~!

이해준이 처음 부딪힌 즐거운 벽!

건방진 해준이 아무리 모함해도 지도 교수랍니다! 아름다우신 분! 반가워요!

Shake Shake

예…, 반갑습니다. 멋지신 분.

해준! 한국이 더~~~ 좋아졌어! 모두 너무 예뻐~!!! 꼭 한국 여자랑 결혼할 거야!

봤지? 이놈의 실체를?

준아….

내 보기엔 유유상종.

철렁.

미안~, 농담!

사실…,

내 생각도.

그래, 맘 상했다.
그냥 침략자로 끝내도 될 걸 굳이 사족 붙여 자극하니 기분 좋아?
뭐 그 정도 세금을 갖고? 이 황홀한 정원 입장료 치고는 헐값인데.
꽃은 구경만 해. 욕심나도 어차피 손이 없어 꺾지도 못하잖아?
지금 안고 있는 꽃도 벅차 질질 흘리면서 어느 손에 쥐려고? 빈손이어야 가능한 거 아닌가?
빈손이어도 쥐지 못하는 네가 그런 말 할 자격 있어?

승표가 소리 내어 말한 적 있어? 하윤을 놓고 자신만을 바라보라든가,

이젠 연우를 잊고 사랑하지 않는다든가, 그 흔한 프로포즈 문구인 너뿐이라든가.

말하지 않아도 느껴지는 게 있는 거야.

99장의 엽서가 키운 자신감이군! 그래, 빈손으로 승표 맞이할 결심을 한 거야?

100번의 주문 소원이 너라는 엽서를 기다리면서?

실망인걸…, 그리 알짱거리고도 이하윤에게 차인 거냐? 연적이 너무 강했나?

소문과 달리 이하윤 지조가 국보급이라든가….

입 다물어…,
이해준―.

어느 쪽에 대한 분노냐?
홍승표에 대한 의심?
이하윤에 대한 모독?

어느 쪽이든
염치없고
뻔뻔하지 않냐?

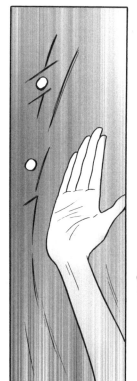

보이는 마음이 있고
보일 수 없는 마음이 있다.
보이지 않아도
눈을 통해 들려오는
마음이 있다.

차마 보일 수 없어
가슴 깊이 숨긴 비밀스러운 이름은
심장에 가까운 만큼
조심스러워 함부로 부를 수 없다.

자신의 위선을 정면으로 들여다보는 일―

진실을 마주한다는 건

용기가 필요한 일이니까….

너야말로 건방지게
어디 설교질이야?
나에 대해 뭘 알아?

내가 추구하는 건 개인주의지만
타인 등쳐 먹는 일 따윈 안 해.
어떤 형태로든
신세지는 건 질색이니까.

물질보다 경계하는 게
감정의 빛이야.
인간관계가 가장 힘들다는 걸
재수지옥 동안 뼈저리게 새겼어.

웃겨….
왜 이런 설명을 해야 하지?
너, 뭐니? 왜 매번
분노의 한계를 갱신시켜?

유년의 우정이 뭐 그리 대단한 권세라고
갑질이야? 승표가 넋두리를 했다면
너 혼자 듣고 닫아!
그게 친구의 예의인 거야.
청하지 않는데 끼어들지 마!

그게 우리들의
룰이야.

승표 옆에 누군가 생길 때마다
심사하는 네 어처구니없는 행동.
친구란 게 먼저 만난 친구들
허락 받고 사귀는 거였니?
너의 훈수는 도가 지나쳐!

미친 거 아니니?

그러니까
들어오지
말라잖아.

우리들만의 감정선 안에
왜 그렇게 기를 쓰고
들어오려는 거야.

정말 싸우나 보네?
혹시 모르니 데려가자고
왔더니만….

......

호오~?
처음 보는
복잡 미묘한 해준….

미안—,
먼저 갈게.

가봐야겠네요.
피트 씨,
다음에 또 봬요.

예! 얼른
가보세요!

먼저 갈게,
연우야….
잘 놀다 가.

어…, 응….

너무 일러…
이해준—.

같이 가.

혼자 갈래.

현빈아…

실어!

너희…, 이상해!

이상한 애들이야!!!

미안해.

잘못 없는 네게
그런 말
듣기 싫어!

혼자 가게 해줘….

나도 싫어─.
너 진정하기 전엔
혼자 못 보내.

표정들이
왜 그래?

단합대회
계속하자구. 피트!
내 개인 면담은
필요 없어?

......

......

잘못했어.
미안해.
용서해줘.

두 사람에게
사과해.

승표한테
할게…

신현빈에게도
사과해.

......

피트!

연우 좀 웃겨봐!
이러다 터지겠어!!
화나면 무섭단
말이야!!!

사고 친 건 넌데
나보고 수습하라고?
여자 달래는 법은
하나밖에 몰라!
kiss….

재주 있으면 해!
연우 무서운 줄
모르는
헛소리겠지만….

고로,
난 후퇴다!

배고프지, 연우야?
핫도그 사 올게!

도망치냐?
그건 더 나빠!
해준!

…하하…

어린애죠?
어지간히
맘에 안 드는
모양이에요.

친구 애인이면
보통 피하는데…,
어디가 안 맞는 걸까요?
신현빈 씨
멋진 여자던데….

엔젤연우….

……

피트…, 미안한데요,
야채 샌드위치로
사 오라 전해줄래요?
다이어트 중이라고,
나….

그럴게요.

해준아,
너… 설마…,
아니지?
내가 착각하고 있는 거지?
혹시라도 그럼 안 돼….
너마저 승표한테
그러지 마—.
해준아…,
제발….

혈압으로 잠시
기절하신 것뿐
다른 문제는 없네.
정말 기력 좋은 노인이네~,
하하—.

홍승진!
부친께선
과격하지 않으셨네.
대범함만 닮게.
할머님 성격
모르는 건 아니지만,

80 넘은 노인일세.
비교적 건강하시지만
노환 심장은 폭탄을
안고 사는 것과 같네.
자극적인 말 한마디가
기폭제가 되지.

심려 끼쳐드려
죄송합니다,
큰아버지.

또 너를
곤란하게 했구나.
신경 쓰지 못해
미안하다.

병원, 제가 있겠습니다.
이사회 가셔야 하니까.

큰일 날 소리 하네.
자네 때문에 쓰러지셨는데
그 얼굴 보이겠다고?
회복하실 때까지
접근금지야. 알겠나?

모처럼 받은 휴가나 즐기게.
그동안 보통 부려먹은 게
아닐 텐데 좀 쉬어야지.

여긴 걱정 말고
떠나도록 해.

할머님 깨어나시면
떠나겠습니다.
병실 밖에 있겠습니다.
그럼….

그래.

명호도 그렇고,
지호 자네도
아들들 하나는
제대로 건진 듯해.

……

…여기가 어딘 게냐?

어머니?
정신이 좀 드세요?
여기 병원이에요.

어머님,
기분은 좀 어떠세요?
불편한 데는 없으세요?

누가 이런 곳에 있겠다고 했어! 멀쩡한데 왜 병원에 있어?

아직 검사가 남았어요, 어머님. 오늘은 쉬시고….

승표가 날 찾을 테니 집으로 가야겠네. 어여 돌아가세, 아범!

가여운 내 새끼가
기다린다고!
그 불쌍한 놈 옆에
있어줘야 해, 아범~!

2005
명재복

어머님~!!!

언제까지
그 낡은 쇼를
우려먹을 생각이냐.

웃기지 마라.
더 이상
당신의 장난에
놀아나게
안 할 거야.

울컥해서
거짓말했어.

사실 너한테는
커다란 감정의 빚을
지고 있어.

네게도
고백보다 먼저
마침을 고한다.

저울에 올리지도
못할 만큼 무거운데…,
그 저울마저
위선의 이중 저울이야.

우리
만나지 말자,
승표야….

난 늘 시작보다
마침을 먼저 고한다.

고백할 기회를 잃은 내게
하윤이 처음으로
겐넨 말도 이별이었다.

두 번 다시
만나지 말자.

억울하지만
전부를 반박할 수는
없더라.

내가 먼저
너의 손을 잡고
놓지 않을 것이다,
그렇게 마음먹었다.

하지만…
다시 원점이다.

…….

너의 천국으로
연우와 함께 돌아가.
그렇게 예쁜 사람…,

놓을 수 없는 게
당연한 거야.

…먼저 갈게.

자학하던 말을
타인의 입을 통해
확인한
고통 때문이다.

100번째 엽서….

열혈 홍승진!
Jazz를 틀어놓고
새로 맛들인
허브 홍차를 우려내고
있을 테지?
샤워가운을 입은 채로.

어이…,
창밖은 왜 보시나?
몰카 아니라네.
형은 오공, 나는 삼장,
도망칠 곳 없다는 걸
알려주는 거야.

끊는다.

형이 녹다운시킨
울 원더우먼 할머니
벌써 기운 차리셨어.
형 처단할 자객들
보내실지 모르니까
무장해.

몽유병 생겼냐?
왜 자다 봉창이야?

할머니 그러시는 거
모르는 척해주면 안 돼?
그러다 혼나면 어쩌려구?
몸 관리 잘해야지.

홍 씨 가문 말아먹기
버라이어티 쇼 한다며~.
진심 기대하고 있는데.
내 눈으로 꼭 목격하게 해줘,
형님아.

곧 보게 될 거야.
할머니가
날 돕고 계신다.
그냥 굴러들어 올
모양이다.

조심해!
방심하다 훅 간다~.
난 형의 지원 사격이
엄청 필요하니까.

무슨 일
있는 거냐?

하드 트레이너가
필요해.
날 정직하게
만들….

와라.

정직 하게...
마음을 들여다보면-

마음의 빛을
지고 있는 건
내 쪽이 먼저다.
넌 나에게 얼마든지
당당해도 돼.

너보다 더
흔들리고 있었던 건
바로 나니까….

......

삐리리리~

삐리리리

삐리리리

여보세요….

아직
안 잤어?

어…,
으…, 응….

너무 늦어서
전화 일부러
안 한 건데…,
걱정했구나?

응…, 좀….
신현빈은
괜찮아?

시작도 못해보고
차일 위기야.
해준이
각오하라 그래.

정말? 어떡해!
승표야!
정말 미안해.
해준이 사과한다고
했으니까….

농담이야,
연우야!
진정해!

뭐…?

바보야…,
그렇게 쉽게
믿어주니까
해준이가
놀려 먹는 거야.
하하….

장난하지 마.
너무해, 너희들….
하나도 안 변했어,
이런 건….

그러게…,
여전히 울보인 채연우,
늘 대신 사과하는
채연우….

미안해….

네가 왜 미안해?
장본인은
침묵 중인데.

서로에게
누군가가 생겨
우리 셋이
헤어지는 일은
없을 거야.

알았어.
용서해주자.
오늘도 연우 덕 보는
이해준 군….

미안해….

그럼…,
다신 전화 끊지 마.
네 전화 벨소리는
날 때부터
느껴진단 말이야.

우리의 정원을
함께 채울 사람을
들이면 되니까.

넷이 하나 되는,
여섯, 아홉, 열둘…
우리의 공간에 들어온
모두가 하나 되는
정원을 가꿀 테니까—

다섯 살 어느 날,
부모님과 놀러 갔던 놀이공원.
눈부신 조명들이
별처럼 반짝이는 밤이 될 때까지
하루 종일 즐거웠던 기억.

우리가 가족이었음을
증거하는 사진…,
행복한 가정의 홍보사진 같은
이 그림이 내게 남겨진
유일한 가족사진이다.

이 사진을 볼 때면…,
전류 같은 것들이
머리를 훑고 지나간다.

앙크조차
끊어버렸지만
이 사진엔 손 댈 수
없었다.

방향을 잃을 때마다
나를 이끄는 나침반.

자신의
존재가치를 증명할
변명의 도구 하나쯤은
있어야 하니까….

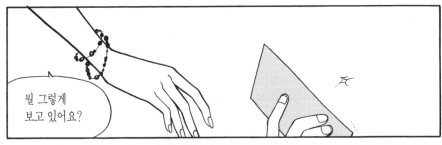

뭘 그렇게
보고 있어요?

들키면
곤란한 사진?

숨기니까
더 궁금하잖아….

아미!

어어—.

당신, 어린애야?
위험하잖아!

어린애처럼 구는 건
당신이잖아.

숨기고 싶은 거면
은밀했어야지.

뱉고 나면
담을 수 없는 게 말이다.
의도적인 상처를
주려는 게 아니라 해도,

그녀 스스로
나의 대나무 숲이
되었다 해도—,
생각보다 먼저 흘려선
안 되는 말이다.

가장 듣기 싫은 말을
들려줄 때마다
억지 부리는
아홉 살 소년을 만난다.

조심할게.

어머니의
슬픈 눈물을 만난다.
그녀의
아픈 마음을 듣는다.

아들의 소재를
타인에게 물어야 하는
부모보다는
가까운 친구의 설득이
더 빠를 겁니다.

아뇨, 절대—.
교수님 줄 못 놓습니다.
그를 묶을 수 있는 끈은
교수님뿐입니다.

저흰 꼭 하윤을
되찾을 겁니다.
그의 무한가능성을 알면서
방관할 순 없습니다.

무엇을 선택하든,
그의 결정을 존중하는 것.
제 역할은 그것뿐입니다.

⋯⋯

부담스럽게 한 건
정말 죄송스럽지만,
이대로 물러설 생각
없습니다.

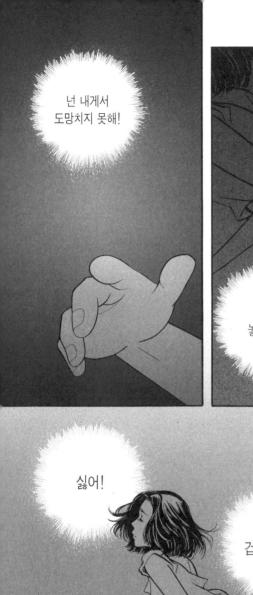

무서워!

널 사랑해….

no good——!
no good～!

연우야…,
괜찮아?

미안—.

잠시 쉬겠습니다.

이런…, 없네….

마실 거 사 올게. 피트, 뭐 마실래? 연우는?

난 됐어.

나도….

오케이―, 알아서 사 올게.

……

……

지금 당신은
아폴론이 두려워
도망치는 님프야!
해준과 로코를
찍는 게 아니야!

진짜와 연기도
구별 못합니까?
아폴론에게 왜!
인간 채연우로
반응하는 겁니까?

해준 눈에 당신은
요정 다프네란 말입니다!!!

화
끈

취미로 추는 거라면
이 클래스에
참가할 자격 없습니다.
당신이 쥔 기회를
고대하던 경쟁자들을
모욕하는 겁니다!

무대 위 감정 하나
다스리지 못하면서
어떻게 프로입니까?
관객은 당신의 춤 연기에
울고 웃는 거란 말이야!
사적인 변명은
통하지 않아!

할머니 잠드셨어요.
아버지도
그만 주무세요.

의사 선생님
말씀대로
걱정하실 거
없으세요.

그래.

내일
승진 형한테 가요.
며칠 놀아주려고요.

아….

적적하시면
아버지도 오세요.
오랜만에 삼부자
뭉치죠, 뭐….

그래,
독심술사도
신도 아니야.
하지만—.

뛰어난
육감으로 느끼지!
너도 내 능력
익히 알잖아?
솔직히…

시끄럽고—,
2인 배틀로
수정해!

과연 3인무를
포기할까,
엔젤연우?

건방 떨지 마—.

내기하자!
절대 포기
못 시킨다,
올인~!!!

엔젤연우 불러서
확인하자!
한시라도 빨리
결정해야 하니까—.

부끄러워
얼굴을 들 수가
없었다.

가슴 속
끓어오르는 분노가
식질 않는다.

두렵지만
물러서기 싫다.

날아볼 거야….

내게
숨겨진 날개가 있다면
무모한 비상이
힘에 부친다 해도
추락하는 일 없이
서서히 땅에 닿을 수
있을 테니―,

무섭지 않을 거야….

BLUE

색의 공감지대에서 만나는
로맨틱 라이프 게임

본인 앞에서
지껄일 수 있는
말만 해라.

끼
약

네~
형?

이번에도 또
어물쩍 넘어갈 생각 마,
이해준.

요즘 잠을
통 못 자고 있다.

어쩌다 선잠에 들면
예전에 꾸던 꿈이 반복되지.
아버지에게 압수당한
어머니 사진들이 흩날리는 꿈….

아…,
승진 형이 너 괴롭히려고
구해왔던
어머니 사진 말이지?

열다섯
살얼음판의 평화는
그날로 종말을 맞았지.

그 모처럼
되찾아가던
평화를…,

네가
박살낸 거
알고 있지?

미안하다니까.

모자라는 말 대신
음악으로
마음을 전해야 할 대상은
형이 아니라…,

현빈이.

지금쯤 네가 저주한
불면의 밤으로
악몽에 시달리며
야위어가고 있을 거야.
아마도….

고통의 씨앗을 품고 울던 봄….

나도…,
당신의 꿈을
꿨어요.

보고 싶어….
…넌?

그녀는 열여섯.

그는 그녀의 곱하기 둘….

꽃처럼 아름다운
내 첫 번째 사랑은
아버지와
첫사랑에 빠져 있다.

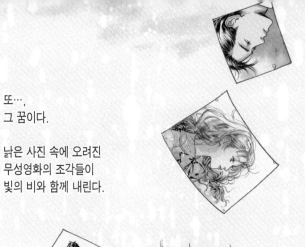

또…,
그 꿈이다.

낡은 사진 속에 오려진
무성영화의 조각들이
빛의 비와 함께 내린다.

그리고
얼어붙어 서 있는 나….

내 열다섯의 시작—.

순서를 틀리지 않고
늘 반복되는 그 꿈이다.

첫눈에 알아본 나의 어머니….

한 걸음도 허락되지 않았던 진실의 방향…

그 끝에 당신이 서 있다.

첫마디를
미처 고르지 못해
머뭇거리는 머리 대신
먼저 달려 나간 마음이…,
후들후들
뜨거운 두 손으로
당신을 끌어안는다.

어머니…,
어머니…,
어머니….

그 이름을
소리 내어 부르니
설움에서 풀려난
통각들과
일치되는 감정들―

어머니란 단어가
눈물과 동의어란 것을
깨닫는다.

꿈의 종반은
언제나 그렇듯
물거품으로
사라져가는 당신….

난,
당신 없는 바다에서
숨 쉴 수 없는데….

어머니!

승표야!

홍승표!

재스민에서 언제 오디차로 넘어간 거야, 형?

공교롭게도 꿈속에서 본 핏빛 바다색이네…

마시기 겁나게…

저녁 때 큰아버지 오신다니 장을 좀 봐올게.

수혈한다 생각하고 차나 마시고 계셔.

이런… 울 할머니 아군 전멸이네. 나라도 할머님께 돌아가야겠는걸.

지금 네 주제로는 아무도 못 지켜. 자고 먹는 일부터 해내고 덤벼라.

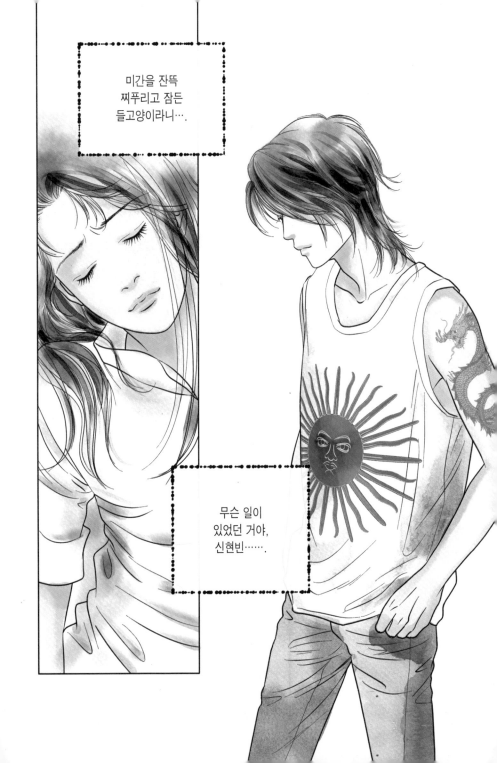

해준 씨~!

잘 됐다! 이거 피트에게 좀 전해주세요.

안에 없어요? 지금 연습 중일 텐데?

그러니까요~, 무시무시해서 문도 못 열고 물러가는 중~!

무슨 일 있어요?

확인 못했어요! 기대치만 업~!!

뭔 무시무시한….

암튼, 다들 세 사람이 보여줄 공연 궁금해 미쳐요~!

홧팅!

이번엔 또 무슨 짓을…, 피트 님~!

엔젤연우의 체중이
중력을 벗어나는 순간
내 어깨를 짚어주면
새털처럼 가벼워!

그래서 커플 댄스는
호흡 맞추는 게 중요해요!
친해질수록 성공률이….

채연우!

싫은 건 싫다고 말해!
시키는 대로 전부
안 해도 되니까!

해준아….

바보야!
위험을 감수하면서까지
억지로 할 필요 없어!

그렇지
않아….

나지막이
흥얼대는
노랫소리….

이 목소리는…,
하윤….

솔직히…,
해준이 자꾸
월권을 해서
실망했어요.

죄송해요….
시간을 주세요,
피트.

이런 식이면
엔딩 파트너 정하는 구성을
바꿔야 할지도 모르겠어요.

피트!

제안이 있어요.

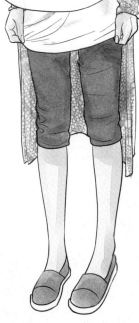

엔딩 파트너는
그날 무대 위에서
실시간으로 정하는 것
어때요?

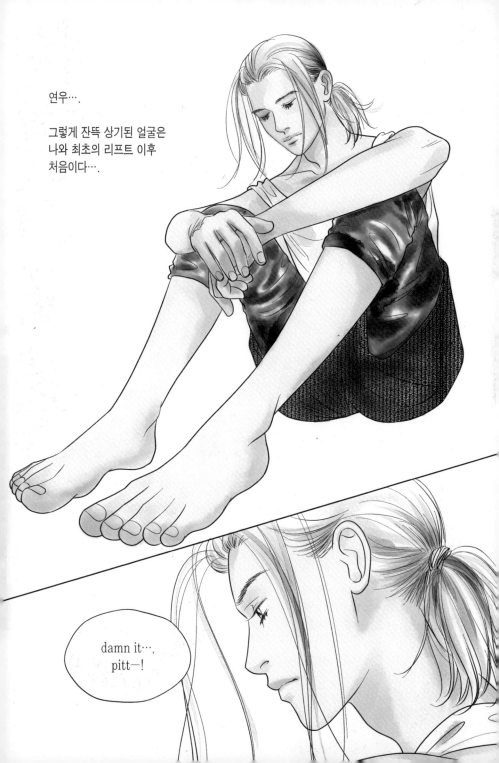

연우….

그렇게 잔뜩 상기된 얼굴은
나와 최초의 리프트 이후
처음이다….

damn it…,
pitt─!

다음에 준비해서 제대로 놀러가자.

네, 아버지! 기대할게요!

그리고 어머니 사진…, 감사합니다.

승진아…, 우리 승표 끝까지 지켜줘. 검은 머리 파 뿌리 될 때까지.

네, 끝까지 괴롭힐 겁니다.

흐읍~! 뭐죠? 사위에게 딸내미 부탁하는 분위기~.

편히 올라가세요. 며칠 후 뵙겠습니다, 큰아버지.

전화 주세요. 할머님과 싸우지 마시고요~!

오냐. 너무 많이 마시지 말고~. 잘 쉬거라.

그동안 불꽃이 소멸해버리면?

그렇게 쉽게 소멸할 거라면 목숨 걸지 마.

분명 시간에 따라 가치관은 변한다.

꺼지지 않는 피터 팬 의지는 작가로서 불태워. 혼자만의 일기로 끝내지 말고.

직간접의 모든 경험을 망상할 수 있는 합법적인 직업이잖아.

형~! 내 일기 훔쳐봤구나?

오늘 밤 다 끝장보자~!

모니터에 매일 떠 있잖아. 봐달라고~.

하하하하하.

승표야~~!

어서 와~, 은경!

오느라 고생하셨어요, 준모 형!

드라이브 코스 완전 좋던데?

보고 싶었엉~!!

나도 보고 싶었어!

꺄아아아아아!! 이게 무슨 일이야!

왜? 왜?

······?????

양준모!!! 죽을래?
아이큐 153도 아니고,
키 이야기 말랬지!!!
나쁜 놈!!!

응~, 그래그래~~.
그렇게 날 욕해요!
승표 잡지 말고~.

이거 안 놔?!
여기 호수도 있던데
수장시켜주겠어!!

이 두 사람…,
음….

와아~!!!
이게 정말 승진 형님
솜씨라구? 레알?

—6권에서 계속—

LEE EUN HYE SPECIAL EDITION
BLUE 5

2024년 5월 25일 초판 1쇄 발행

저자 이은혜

발행인 정동훈
편집인 여영아
편집책임 최유성
편집 양정희 김지용 김혜정 조은별
디자인 디자인플러스

발행처 (주)학산문화사
등록 1995년 7월 1일
등록번호 제3-632호
주소 서울특별시 동작구 상도로 282 학산빌딩
편집부 02-828-8988, 8836
마케팅 02-828-8986

ⓒ2024 이은혜/학산문화사

ISBN 979-11-411-3210-1 (07650)
ISBN 979-11-411-3205-7 (세트)

값 16,500원